LES PETITS CAHIERS

Collection dirigée par Jean-Luc Caron

Des jeux ave les mots pou commencer à lire

Magdalena Guirao-Jullien

Illustrations de Lucile Ahrweiller

RETZ
www.editions-retz.com
9 bis, rue Abel Hovelacque
75013 Paris

SOMMAIRE

© Retz, 2012
ISBN : 978-2-7256-3142-4

Les mots des repas

Les mots des activités

Les mots de la fête

De toutes les couleurs !

1 Entoure les noms des couleurs à chaque fois que tu les vois.

ROUGE	ORANGE	VERT	JAUNE	BLEU
RONDE	ORANGE	VERT	JAUNE	BLEU
ROUGE	GARAGE	NERF	JAMBE	BANC
ROUTE	GRANGE	VERT	JANTE	BLEU
ROUGE	ORANGE	VERT	JAUNE	BLOC

2 Écris le nom de la couleur avec un feutre de la même couleur.

rouge ....

vert ....

jaune ....

bleu ....

orange ....

3 Colorie ☐V si c'est vrai, ☐F si c'est faux.

L'ananas est jaune. ☐V ☐F

La vache est rouge. ☐V ☐F

4 Relie chaque dessin à sa couleur et écris le nom de la couleur en attaché.

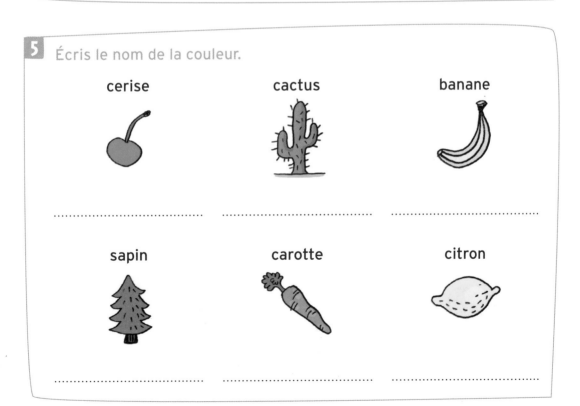

- orange ....
- vert ....
- rouge ....
- jaune ....
- bleu ....

5 Écris le nom de la couleur.

cerise

cactus

banane

....

sapin

carotte

citron

....

Drôles de bêtes !

1 Complète les phrases par des noms d'animaux en t'aidant des dessins en bas de la page.

Le .... miaule.

L'.. vole.

L'.. bave.

Le .... aboie.

Le .... est dans le bocal.

Le .... est sur une fleur.

La .... rentre sa tête.

La .... a des points noirs.

chat

chien

tortue

oiseau

escargot

papillon

coccinelle

poisson

2 Relie chaque animal à son aliment préféré.

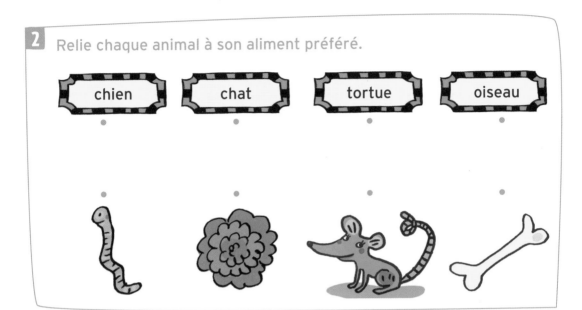

| chien | chat | tortue | oiseau |

3 Colorie les cases selon le nombre de syllabes que tu entends.

Lundi, mardi, mercredi...

1 Barre l'intrus.

lundi   mardi   dimanche   samedi   dinosaure

2 Écris les jours oubliés dans les pétales vides.

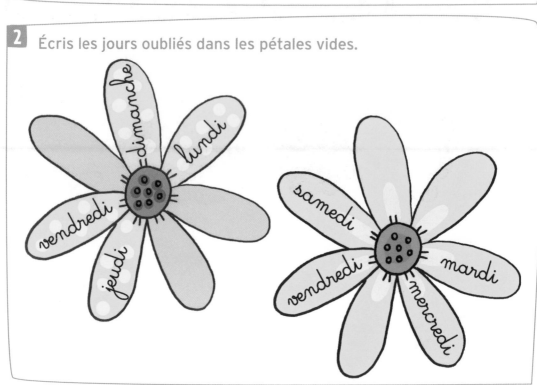

3 Lis ou écoute les mots. Colorie les cases selon le nombre de syllabes que tu entends.

lundi

mardi

samedi

vendredi

mercredi

jeudi

4 Écris chaque mot dans sa colonne.

lundi · mardi · mercredi · jeudi · vendredi · samedi · dimanche

5 lettres	6 lettres	8 lettres
lundi	....	....
....	....	....
....	....	....

5 Entoure la syllabe que tu retrouves dans chaque mot.
Dis-la et écris-la dans le nuage.

lundi   mercredi   vendredi

mardi   jeudi   samedi

               dimanche

6 Complète avec les jours de la semaine qui conviennent.

lundi .... *mercredi*

mardi .... *jeudi*

jeudi .... *samedi*

samedi .... *lundi*

Ouvrez les cartables !

1 Remplis la grille avec les mots de la trousse et du cartable.

10
11
9
8
7 C
A
R
6 T R O U S S E
A
B
L
5
4 E
3
12
2
1
TROUSSE 6
1 COLLE
3 CRAYON
5 STYLO
FEUTRE 12
CISEAUX 9
GOMME 2
CARTABLE 8
CLASSEUR 4
ARDOISE 11
LIVRE 10
CAHIER 7

2 Complète les phrases avec le mot du dessin :
aide-toi des mots de la trousse et du cartable p. 10.

Il lit un ....

Il dessine avec un f........................... .

Il découpe avec des ....

3 À la fin de chaque phrase, écris le numéro
qui correspond au dessin.

1 – la classe   2 – la récréation   3 – la cantine   4 – l'école

On y joue le matin et l'après-midi. ☐

On y va tous les jours sauf le mercredi,
le samedi et le dimanche. ☐

On y mange le midi quand on déjeune à l'école. ☐

On y travaille assis derrière une table. ☐

« Jacques a dit... »

lis   colorie   regarde   relie   colle   écris

dessine   coche   découpe   entoure   barre   écoute

1 Relie chaque consigne à son image.

entoure

lis

colorie

regarde

relie

colle

écris

dessine

barre

coche

découpe

écoute

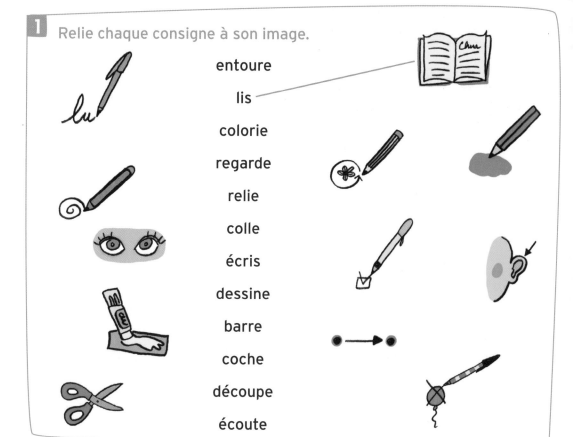

2 Entoure la consigne qui correspond au dessin.

coche   relie   écris   colle   découpe

colorie   lis   écoute   coche   dessine

3 Remets les lettres dans l'ordre pour écrire les consignes.

s i l   ....

o u c t e é   ....

c é r s i   ....

s s i n e d e   ....

t r o u e n e   ....

a r r e b   ....

1, 2, 3... Comptez !

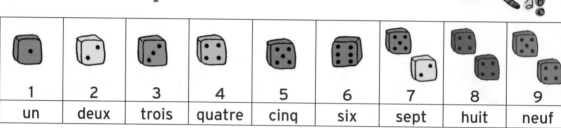

1	2	3	4	5	6	7	8	9
un	deux	trois	quatre	cinq	six	sept	huit	neuf

1 Relie les mains aux nombres en lettres, puis écris-les dans les cases.

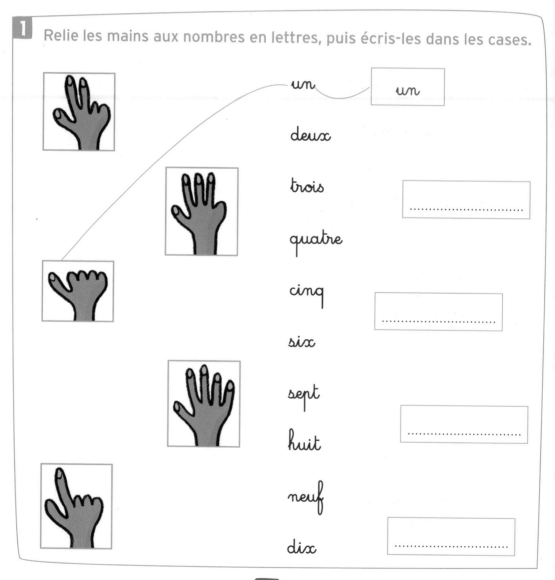

un — un

deux

trois
....

quatre

cinq
....

six

sept
....

huit

neuf

dix
....

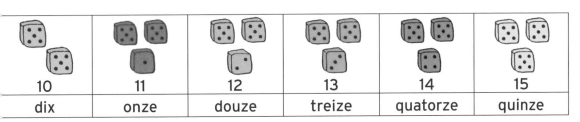

10	11	12	13	14	15
dix	onze	douze	treize	quatorze	quinze

2 Compte, puis écris les nombres en toutes lettres correspondant aux dessins.

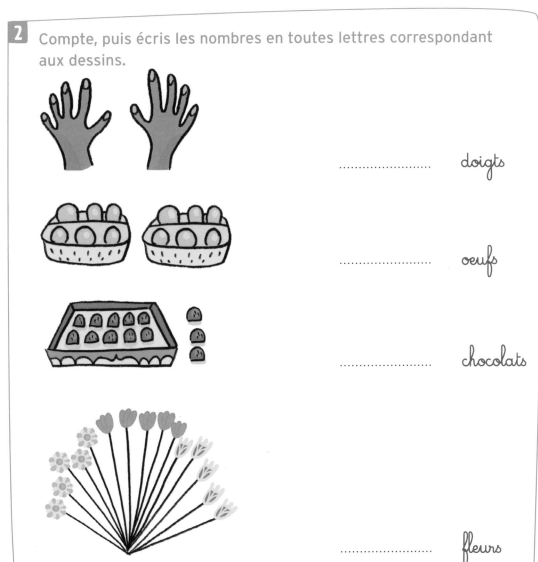

.... doigts

.... oeufs

.... chocolats

.... fleurs

La maison magique

1 Regarde l'illustration et retrouve les mots de la maison qui s'envole. Écris-les sur l'échelle.

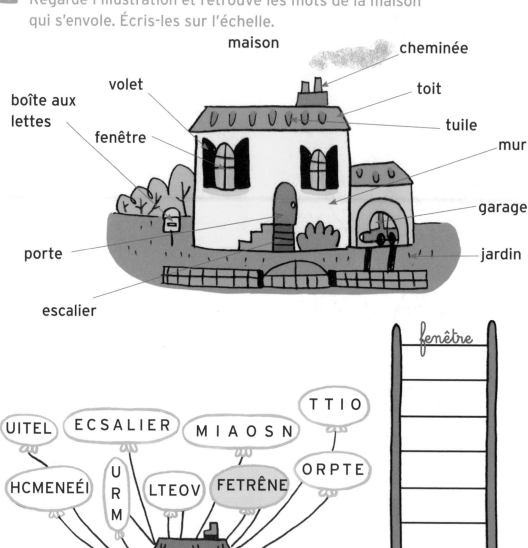

maison

cheminée

volet

toit

boîte aux lettes

tuile

fenêtre

mur

garage

porte

jardin

escalier

fenêtre

UITEL

ECSALIER

MIAOSN

TTIO

HCMENEÉI

U R M

LTEOV

FETRÊNE

ORPTE

2 Range les mots de la maison en les écrivant dans les cases qui conviennent. Regarde le début des mots.

chambre • balcon • grenier • salon • salle de bains • cuisine • bureau • garage • salle à manger • terrasse • buanderie • toilettes

B   balcon

G

C

....

....

S

....

....

....

T   ....

3 Devinette.

Elle n'a généralement pas de volet
et on l'ouvre pour entrer dans la maison.

C'est la ....

Réunion de famille

1 Observe qui est qui dans la famille.

le papa
la maman

le grand-père
la grand-mère

le grand frère

la petite sœur

les jumeaux   les jumelles

Écris sous chaque image qui est photographié.

le ....

la ....

les ....

le ....

les ....

la ....

2 Entoure le mot qui convient sous chaque dessin.

les jumelles   la grand-mère   la maman

les jumeaux   le grand-père   le papa

3 Colorie d'une même couleur les étiquettes syllabes
qui vont ensemble. Écris les mots.

pè	ma	re	pa

père

frè	pa	re

....

re	man	mè

....

4 Comment appelles-tu...

ton grand-père ? ....

ta grand-mère ? ....

ta sœur ? ....

ton frère ? ....

De la tête aux pieds

1 Retrouve et complète les mots du corps.

la t _ _ _

le _ o _

le _ _ _ _ e

le b _ _ _

la _ _ _ _

le _ _ _ t _ _

le _ _ _ _ _

la j _ _ _ _

le _ _ _ _

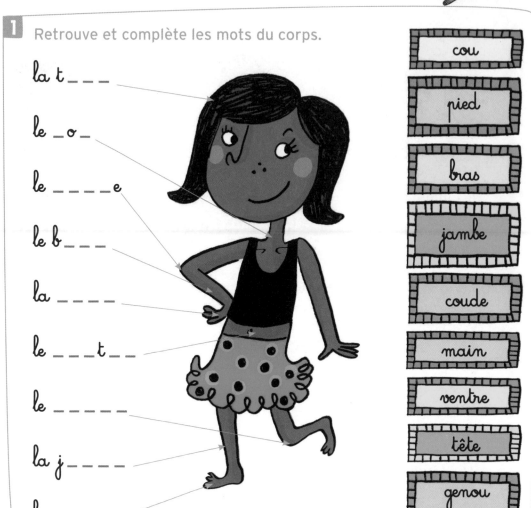

cou

pied

bras

jambe

coude

main

ventre

tête

genou

2 Dans le nuage, deux mots ont une syllabe commune.
Écris-la dans le soleil.

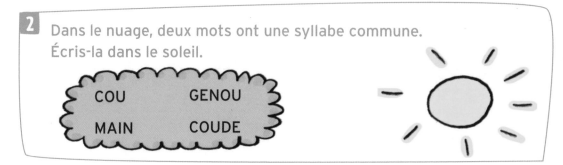

COU   GENOU

MAIN   COUDE

3 Remplis la grille en t'aidant du dessin légendé.

sourcil — œil
yeux — nez
dent — oreille
bouche — langue
lèvre — menton

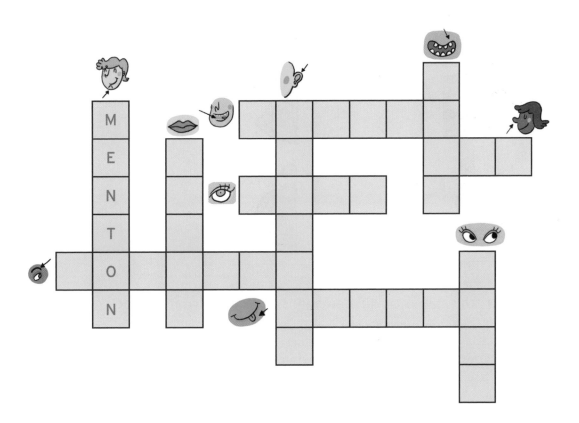

Et si on s'habillait ?

1 Relie chaque moitié de dessin et écris le mot.

ro

peau

....

ju

be

robe

man

pe

....

cha

teau

....

bon

net

....

2 Écris les numéros qui conviennent dans les ronds vides.

① Je couvre la tête.   ◯ une jupe

② Je couvre les jambes des filles.   ◯ un manteau

③ Je couvre le ventre et les bras.   ◯ un bonnet

3 Observe le début des mots et range-les en les écrivant dans le tiroir de la commode qui convient.

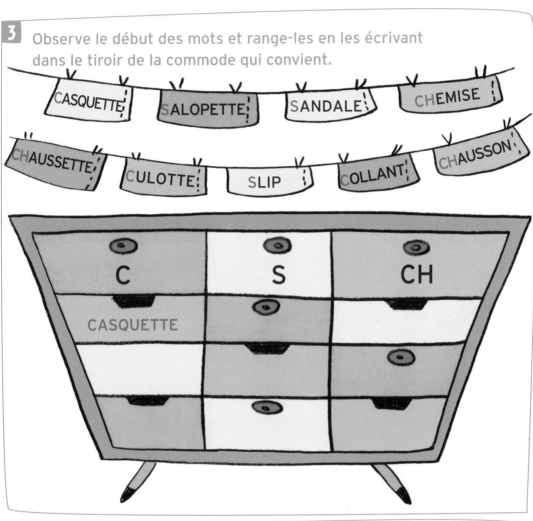

CASQUETTE SALOPETTE SANDALE CHEMISE
CHAUSSETTE CULOTTE SLIP COLLANT CHAUSSON

C   S   CH

CASQUETTE

4 Complète les mots par la syllabe qui manque.

_ _ tte   _ _ _ _ _ ssure   _ _ _ dale   _ _ sket

chau - bo - ba - san

1, 2, 3... Soleil !

1 Remplis la grille en t'aidant
des dessins et des mots en bas.

arc-en-ciel

vent

pluie

nuage

brouillard

soleil

neige

éclair

tempête

2 Écris le nom des saisons en attaché.

AUTOMNE

l' ....

HIVER

l' ....

PRINTEMPS

le ....

ÉTÉ

l' ....

3 Relie les objets à la saison qui leur correspond.

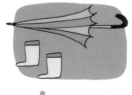  

•   •   •   •

•   •   •   •

printemps   automne   été   hiver

Bienvenue en ville !

1 Reconstitue les mots en écrivant les voyelles oubliées.
Aide-toi du dessin.

_ MM _ _ BL _

M _ G _ S _ N

M _ _ S _ N

R _ _

P _ RK _ NG

immeuble

maison

magasin

rue

parking

2 Dans la liste de droite, retrouve les 4 expressions illustrées
et barre les 3 expressions intruses.

le passage piéton

le feu tricolore

la piste cyclable

le feu tricolore

le passage piéton

le kiosque à musique

le jardin public

l'arrêt de bus

la caserne des pompiers

l'arrêt de bus

le jardin public

3 Colorie de la même couleur les étiquettes et les panneaux qui correspondent. Puis, écris les mots en cursive.

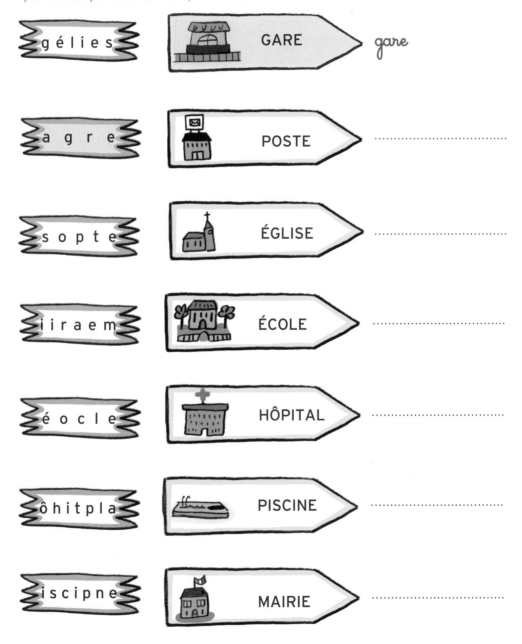

g é l i e s — GARE — *gare*

a g r e — POSTE — ....

s o p t e — ÉGLISE — ....

i i r a e m — ÉCOLE — ....

é o c l e — HÔPITAL — ....

ô h i t p l a — PISCINE — ....

i s c i p n e — MAIRIE — ....

Comme un poisson dans l'eau

1 Sépare les mots de la vague et écris-les dans les cases.

*crabe poisson sable coquillage phare parasol mer
soleil bateau méduse étoile de mer*

2 Écris le mot caché dans chaque étoile et relie-le au dessin qui correspond. Attention, il y a un intrus.

crabe   algue   méduse   crevette

A U E G L

T T C V E E R R E

M U D E É S

....

3 Relie le poisson-syllabe au poisson-mot et au dessin.

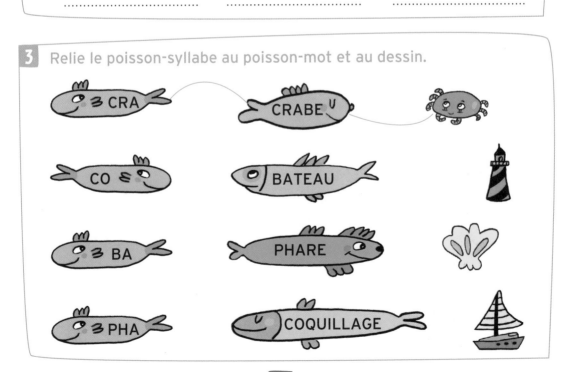

CRA — CRABE

CO

BATEAU

BA

PHARE

PHA

COQUILLAGE

En haut des monts

1 Compte les syllabes que tu lis, colorie le nombre de cases qui correspond, puis écris la syllabe oubliée.

① sapin | | | | | sapin

② montagne | | | | | mon_ _ gne

③ berger | | | | | _ _ _ ger

④ ours | | | | | _ _ _ s

⑤ bouquetin | | | | | bou_ _ _ tin

⑥ aigle | | | | | ai _ _ _

⑦ randonneur | | | | | ran_ _ nneur

⑧ chalet | | | | | _ _ _ let

30

2 Remplis la grille en t'aidant des numéros et des dessins de la page de gauche.

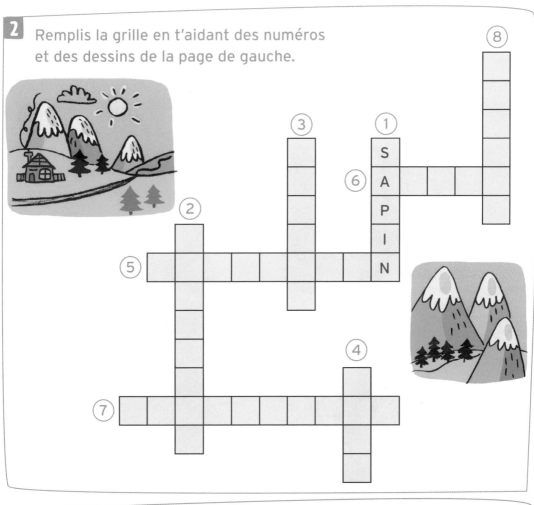

3 Devinettes.

C'est une maison en bois.

𝒞'est un ....

Quel est le mot qui contient trois N ?

𝒞'est ....

Promenons-nous dans les bois...

1 Légende le dessin en t'aidant des numéros et des modèles en bas de page.

① châtaigne ② champignon ③ gland ④ feuille

⑤ chouette ⑥ chêne ⑦ renard ⑧ oiseau ⑨ sapin

⑩ arbre ⑪ sanglier ⑫ nid ⑬ écureuil ⑭ forêt

2 Colorie les étiquettes syllabes pour écrire le mot.

PAN	PI	LON
CHAM	TA	GNON

FO	BOT
RO	RÊT

POR	GLI	RIE
SAN	CHE	ER

3 Entoure le mot qui correspond au dessin.

barbe
arbre

feuille
fouille

oiseau
roseau

midi
nid

renard
retard

épagneul
écureuil

grand
gland

lapin
sapin

4 Devinette.

Je pousse sur les arbres et on m'écrit dessus.

Qui suis-je ? La ....

Visite à la ferme

1 Légende les dessins avec les mots de la liste.

vache

lapin

⑥ ....

③

⑤ ②

....

chèvre coq

mouton cochon

poule ①

④

....

① poulailler ② étable ③ champ

④ porcherie ⑤ clapier ⑥ tracteur

2 Entoure le nom des animaux de la ferme.

coq - loup - ours - cochon - lion - mouton

poule - vache - lapin - singe - chèvre

3 Entoure le nom de l'animal.

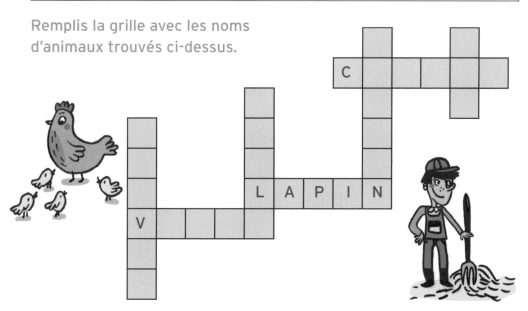	(lapin) loup lièvre (lapin) lama (lapin)
	porc poule pou poule poule
	coq cochon coq cochon cochon coq
	moule mouton mouche mouton matou
	vautour vache ver vache vipère vache
	chat chien chèvre chèvre chèvre chien
	coq cochon coq coq cochon cochon

Remplis la grille avec les noms
d'animaux trouvés ci-dessus.

C

L A P I N

V

Au supermarché

---

1 Regarde les illustrations et lis les mots.

caddie

panier

porte-monnaie

caisse

liste

ticket

code-barre

prix

Relie les mots aux dessins.

caddie

caisse

porte-monnaie

code-barre

---

2 Entoure le mot qui correspond au dessin.

livre

liste

concombre

code-barre

ticket

timbre

prix

tri

3 Retrouve les deux mots mélangés dans le sac, puis écris-les.

4 Écris chaque mot qui convient et entoure ses 3 voyelles.

....

5 Écoute ou lis ce texte et complète-le avec les mots suivants :

ticket - liste - porte-monnaie.

Dans mon .... il y a de l'argent.

Je fais ma .... de courses avant de sortir.

Quand j'ai payé, la caissière me donne un ....

Fruits en folie !

1 Écris le nom du fruit en remettant les lettres dans l'ordre.

A.................................   ....

....

2 Entoure le mot qui correspond au dessin.

fraise   clémentine   raisin   abricot

framboise   cerise   rhubarbe   ananas

3 Dans le saladier, barre les mots qui ne sont pas des noms de fruits.

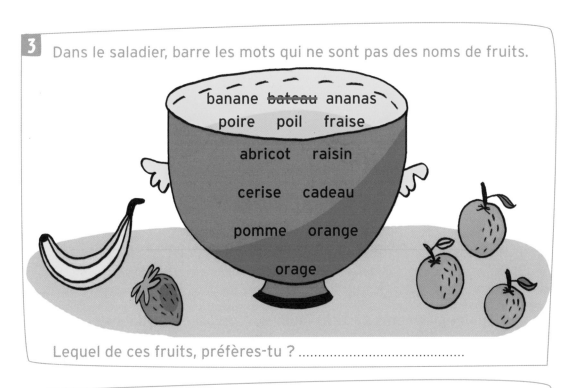

banane ~~bateau~~ ananas
poire   poil   fraise
abricot   raisin
cerise   cadeau
pomme   orange
orage

Lequel de ces fruits, préfères-tu ? ....

4 Retrouve les noms des fruits rouges et souligne-les.

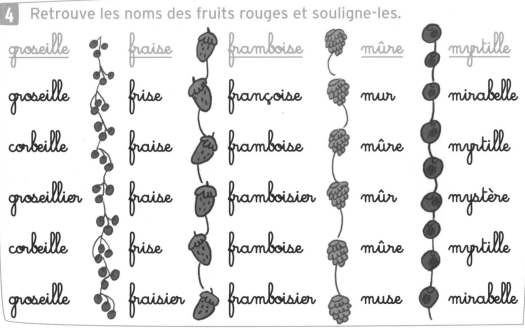

groseille	fraise	framboise	mûre	myrtille
groseille	frise	françoise	mur	mirabelle
corbeille	fraise	framboise	mûre	myrtille
groseillier	fraise	framboisier	mûr	mystère
corbeille	frise	framboise	mûre	myrtille
groseille	fraisier	framboisier	muse	mirabelle

La bonne soupe !

1 Écris le nom de ces légumes sous les dessins.

.... de ....

carotte - pomme de terre - poireau

2 Complète les noms de ces légumes. Aide-toi des syllabes en bas de page.

_ _ _ _ GETTE   _ _ DIS   _ _ TIRON

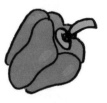      

_ _ _ VRON   _ _ RICOT   _ _ _ _ -FLEUR

RA - POI - HA - CHOU - PO - COUR

3 Colorie les étiquettes syllabes pour écrire les mots.

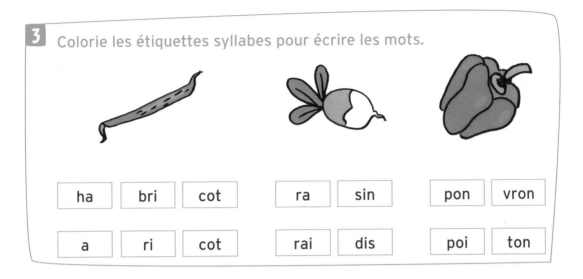

| ha | bri | cot | | ra | sin | | pon | vron |
| a | ri | cot | | rai | dis | | poi | ton |

4 Regarde les légumes qui sont dans la cocotte.
Écris leur nom sur la liste de courses.

courgette

Miam miam !

1 Légende le dessin en utilisant les mots en bas de l'exercice.

l ....

m ....

c ....

p ....

y ....

f ....

g ....

c ....

c ....

b ....

confiture - miel - yaourt - fruit - beurre
lait - pain - chocolat - céréales - gâteau

2 Rébus. Trouve le mot qui se cache derrière les dessins et écris-le correctement.

....

3 Retrouve et entoure les 10 mots de la page de gauche.

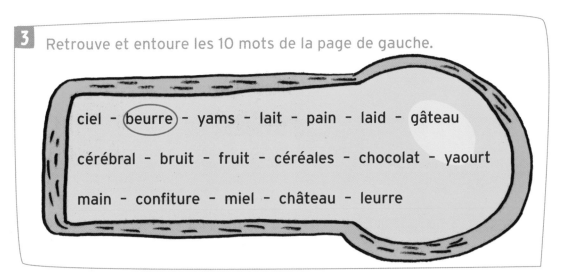

ciel - beurre - yams - lait - pain - laid - gâteau

cérébral - bruit - fruit - céréales - chocolat - yaourt

main - confiture - miel - château - leurre

4 Relie chaque aliment au dessin correspondant.
Puis, range-le dans le réfrigérateur ou sur l'étagère.

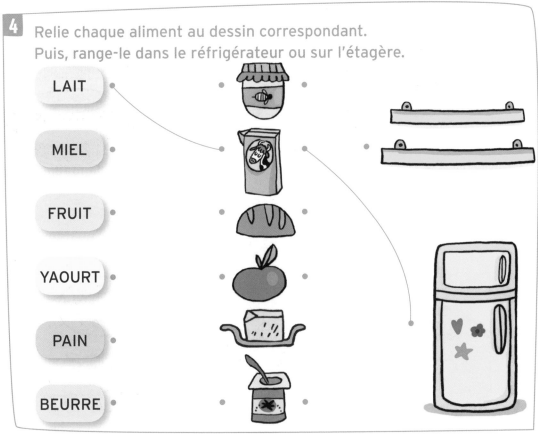

LAIT

MIEL

FRUIT

YAOURT

PAIN

BEURRE

À table !

1 Écris les mots qui correspondent aux dessins.

....

four - cuisinière - réfrigérateur

2 Relie les dessins aux mots.

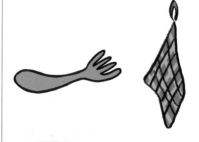

- fourchette •

- couteau •

- assiette •

- torchon •

- verre •

- casserole •

- saladier •

- plat •

- poêle •

- cocotte •

3 Remplis la grille en t'aidant de la page de gauche.

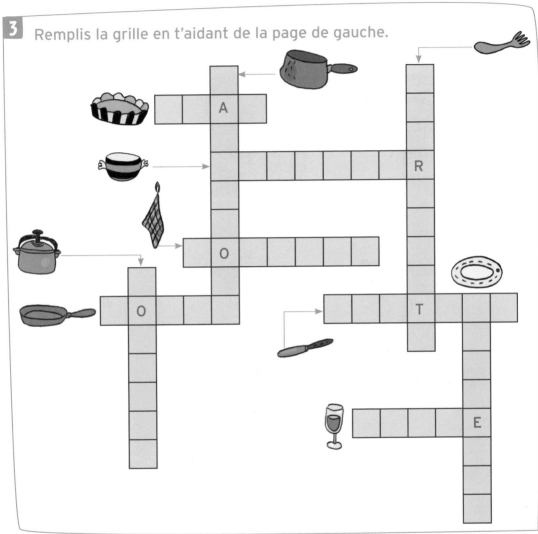

4 Devinette : laver, essuyer ou éplucher ?

Enlever la peau, c'est ....

Nettoyer la vaisselle, c'est ....

Vive le sport !

1 Écris le nom du sport qui correspond à chaque dessin.

b......................... ru..................... n.........................

f......................... d......................... j.........................

danse - judo - rugby - natation - football - basketball

2 Devinette.
Quel est le nom de ce sport ?

vélib
vélomoteur
cyclisme

le _ _ _ _ _ _ _ _

3 Colorie en rouge les sports que tu peux pratiquer tout seul,
en vert à deux, en bleu en équipe.

 basketball

 judo

 danse

 rugby

 natation

 football

4 Entoure le nom du sport qui correspond au dessin.

basketball   patinage   judo   équitation

tennis   ski   jogging   natation

5 Devinette.

Ce sport se pratique à l'intérieur comme
à l'extérieur, mais toujours en maillot de bain.

 C'est la _ _ _ _ _ _ _ _.

Plouf !

1 Complète le dessin en t'aidant des modèles et des numéros en dessous.

(5) b.............................

(4) ....

(3) ....

(2) ....

(1) ....

(6) ....

(1) maillot   (2) ceinture   (3) serviette

(4) lunettes   (5) bonnet   (6) plongeoir

2 Entoure les noms des objets que tu mets dans ton sac de piscine.

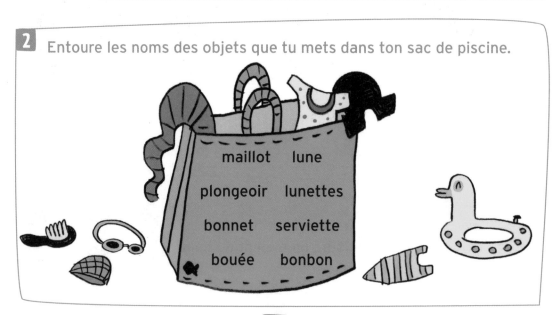

maillot   lune

plongeoir   lunettes

bonnet   serviette

bouée   bonbon

3 Complète le texte en t'aidant des dessins légendés en bas de page.

Quand je vais à la .... ,

je .... et je ....

dans l' .... !

Le .... me surveille

quand je .... Plouf !

(je) nage

(je) saute

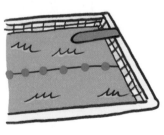

(je) plonge

maître nageur

eau

piscine

L'école est finie !

1 Où pars-tu en vacances ? Réponds en complétant la phrase.

à la campagne

à la mer

à la montagne

Je vais ....

2 Où dors-tu en vacances ? Réponds en complétant la phrase.

une tente

une maison
de vacances

un camping-car

un appartement

une caravane

un bungalow

Je dors dans ....

3 Regarde les illustrations, puis complète la phrase.

en famille

en colonie

chez mes grands-parents

Je pars en vacances ....

4 Avec quel bagage voyages-tu ? Réponds en complétant la phrase.

un sac à dos

une valise

un sac de voyage

Je voyage avec ....

5 Rébus.
Trouve un mot des vacances à l'aide des dessins et écris-le.

_ _ _ _ _ _ _

En avant !

1 Relie les noms de ces moyens de transport à la phrase qui convient.

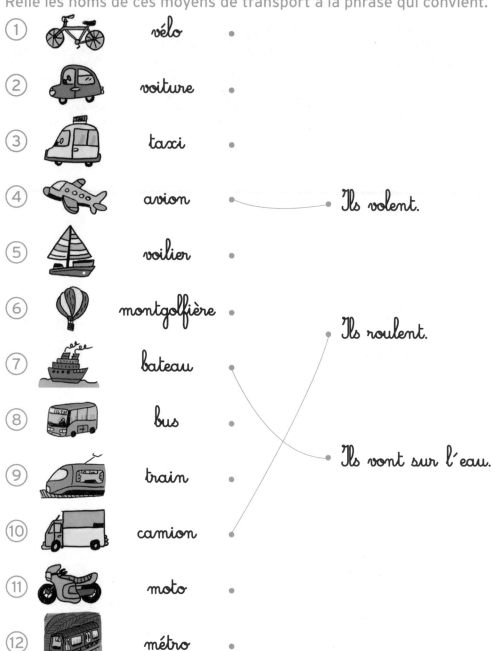

① vélo

② voiture

③ taxi

④ avion • ———— • *Ils volent.*

⑤ voilier

⑥ montgolfière

⑦ bateau • *Ils roulent.*

⑧ bus

⑨ train

⑩ camion • *Ils vont sur l'eau.*

⑪ moto

⑫ métro

2 Remplis la grille en t'aidant des dessins et des numéros de la page de gauche.

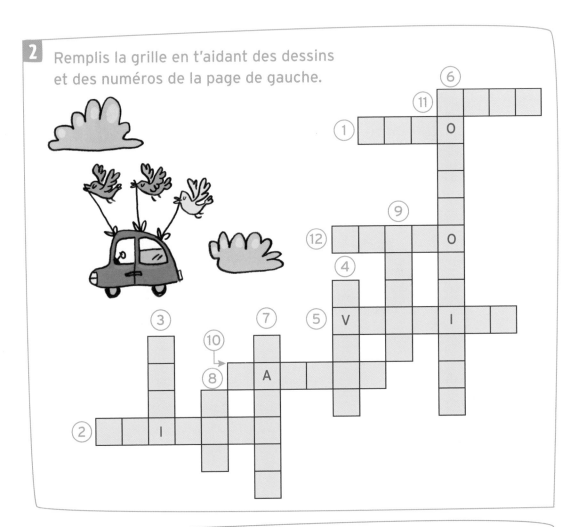

3 Devinette.

Ce n'est pas un poisson et pourtant il se déplace sous l'eau.

C'est un ....

ancre

sous-marin

Au travail !

1 Écris le nom des métiers de ces personnages.
Aide-toi de la liste de mots.

p ....

m ....

g ....

p ....

f ....

a ....

policier - facteur - astronaute
médecin - pompier - garagiste

2 Relie les phrases aux noms de métiers.

Il soigne les gens.   •   • le garagiste

Il répare des voitures.   •   • le médecin

Il éteint les incendies. •   • le pompier

3 Complète les noms de ces métiers avec les syllabes en bas.

coiffeur

_ _ _ _ macien

_ _ _ tiste

_ _ sicien

_ _ _ _ tre

_ _ _ _ teur

coi - phar - mu - den - pein - chan

4 Réponds aux questions, en choisissant des métiers de cette double page.

Quel est ton métier préféré ?

....

Quel est le métier que tu détestes ?

....

Tralala tsoin tsoin

1 Relie les banderoles aux dessins.

BONNE ANNÉE !   JOYEUX NOËL !   JOYEUX ANNIVERSAIRE

2 Écris dans la bulle ce que dit la petite fille.

J..................
.... !

Merci !

3 Entoure dans chaque liste le mot qui correspond au dessin.

confetti	lampion	cadeau	orchestre
confiserie	lampe	gâteau	orchestre
confetti	lampadaire	bateau	octobre
confiture	lampion	cadeau	orchidée

4 Complète avec : *joyeux*   *bonne*

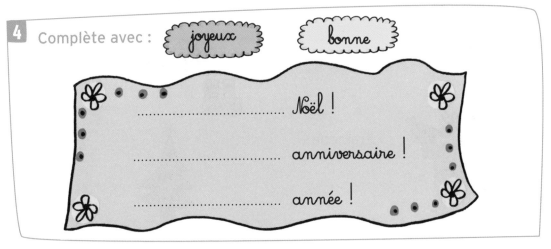

.... Noël !

.... anniversaire !

.... année !

5 Écris le mot qui correspond au dessin : *carnaval, feu d'artifice, mariage.*

....

En attendant le père Noël

1 Copie les mots en écriture cursive (« en attaché »).

père Noël

....

renne

....

hotte

....

cadeau

....

cheminée

....

traîneau

....

sapin

....

2 Lis ou écoute le texte et entoure les mots de l'exercice 1.

Le père Noël met sa hotte sur son dos.

Le traîneau du père Noël est tiré par des rennes.

Le père Noël descend dans la cheminée.

Le père Noël dépose les cadeaux sous le sapin.

3 Sépare les mots de la guirlande pour remplir la grille.

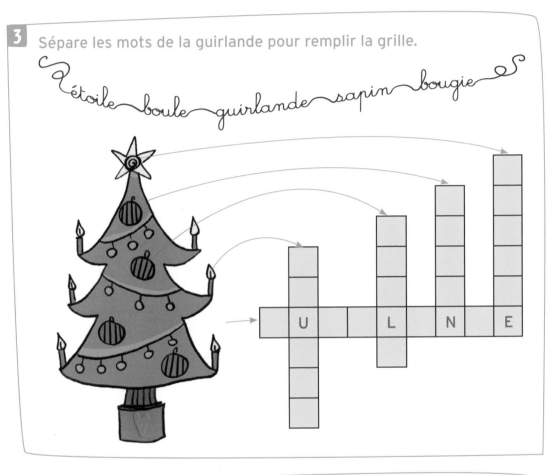

étoile   boule   guirlande   sapin   bougie

| U | | L | | N | | E |

4 Complète le texte avec les mots des deux pages.

C'est.................! Lucie et sa maman décorent le ....

Elles accrochent une longue..,

des boules et une .... tout en haut.

Elles font un grand feu dans la ....

Sous le chapiteau

1 Légende le dessin en t'aidant de la liste.

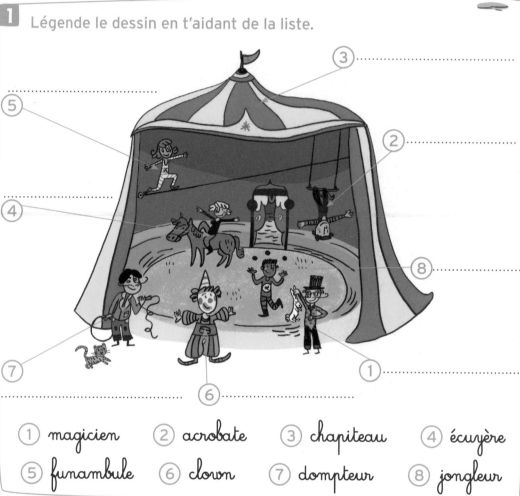

③ ....

⑤ ....

② ....

④ ....

⑧ ....

⑦ ....

① ....

⑥ ....

① magicien ② acrobate ③ chapiteau ④ écuyère

⑤ funambule ⑥ clown ⑦ dompteur ⑧ jongleur

2 Rébus.
Trouve un mot du cirque à l'aide des dessins et écris-le en dessous.

     t'

_ _ _ _ _ _ _ _ _

3 Relie chaque artiste à son accessoire ou son animal.

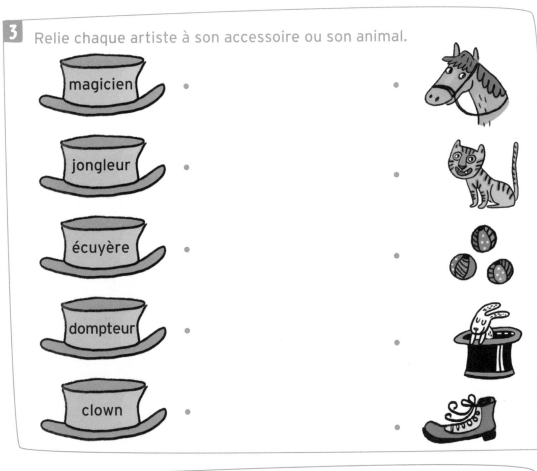

magicien

jongleur

écuyère

dompteur

clown

4 Colorie les bonnes étiquettes syllabes pour écrire les mots.

CHA	LU	TEAU
CHA	PI	MEAU

MA	GI	GE
MA	NÈ	CIEN

DON	TEUR
DOMP	JON

Il était une fois...

1 Écris les mots au bon endroit dans le paysage : *sorcière - fée - château - roi - reine - lutin - chaudron - prince - princesse - loup.*

c ....

s ....

r ....

f ....

l ....

c ....

l ....

r ....

p ....

p ....

2 Écris si c'est VRAI ou FAUX dans les contes.

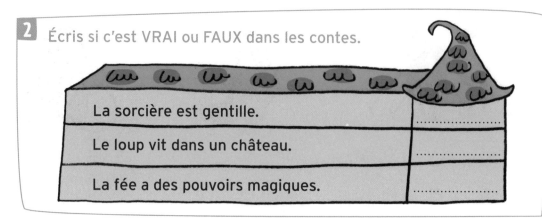

La sorcière est gentille.	....
Le loup vit dans un château.	....
La fée a des pouvoirs magiques.	....

3 Associe les syllabes des tours pour reformer les mots et écris-les dans le château.

CHAU	*chaudron*	PEAU
CHÂ		DRON
CHA		TEAU
FO		TIN
LU		RÊT

4 Devinettes.

Elle prépare des potions dans son chaudron.

la ....

Il mange les enfants.

l' ....

Il habite dans un château.

le ....

sorcière

roi

ogre

Des jeux avec les mots pour commencer à lire

Présentation

L'entrée dans la lecture s'appuie sur la pratique orale de la langue et l'acquisition du vocabulaire. Si l'enfant ne dispose pas d'un bagage langagier suffisant, l'apprentissage indispensable des mécanismes d'identification des mots, en particulier grâce au repérage et à la discrimination des sons et des graphies, s'avère insuffisant. Il est en effet nécessaire que les mots fassent sens pour celui qui les déchiffre.

On estime donc que pour commencer à lire, l'enfant doit pouvoir mettre en œuvre un ensemble de connaissances et de compétences langagières parmi lesquelles il faut souligner l'importance de l'appropriation du sens des mots.

Cet ouvrage poursuit différents objectifs :
• permettre à l'enfant de développer ses connaissances lexicales et lui donner envie de découvrir des mots en référence à un domaine (les mots de la ville, de la ferme, de la météo, de l'école, des consignes, des vacances, des contes, etc.) ;
• jouer avec les mots proposés, apprendre à les lire, à les écrire, à les repérer, identifier et combiner les syllabes.

Conseils d'utilisation

Ce Petit Cahier peut être utilisé de façon linéaire ou par thèmes. Même si l'enfant prend beaucoup de plaisir à effectuer les activités proposées, il est préférable qu'il s'entraîne peu de temps, une page voire deux au maximum à chaque fois, mais de façon régulière.

Vérifiez que l'enfant comprenne bien ce qui lui est demandé. S'il se trouve en situation de blocage, n'hésitez pas à lui donner un indice pour lui permettre de réaliser l'exercice ou l'aider à lire un mot.

En cas de lassitude ou de réelle difficulté, laissez momentanément le cahier de côté, vous le reprendrez plus tard en repartant des dernières réussites de l'enfant. Il est important que les activités proposées dans ce Petit Cahier soient considérées comme un jeu à faire avec l'enfant, et non comme un exercice obligatoire.

Les situations proposées sont très efficaces pour permettre à l'enfant d'augmenter ses connaissances lexicales. Il est cependant nécessaire de parler régulièrement avec lui, afin qu'il entende et utilise les mots à bon escient. Il est important aussi qu'il s'entraîne avec de petits textes variés en commençant à les lire ou en écoutant leur lecture.

Direction éditoriale : Sylvie Cuchin
Édition : Élodie Chaudière
Correction : Bérengère de Rivoire et Florence Richard
Création de maquette : Sarbacane Design
Mise en page : Lasergraphie
N° de projet : 10195495- Dépôt légal : mars 2012
Achevé d'imprimer en France en mars 2013
sur les presses de la Nouvelle Imprimerie Laballery - 301266

FSC
www.fsc.org
MIXTE
Papier issu
de sources
responsables
FSC® C022030

Le papier de cet ouvrage est composé de fibres naturelles, renouvelables, fabriquées à partir de bois provenant de forêts gérées de manière responsable.